꽃이 피는 마음의 정원

AI COLORING BOOK

설시내 지음

꽃이 피는 마음의 정원 AI COLORINGBOOK
발 행 | 2024년 08월 12일
저 자 | 설시내
저자이메일 | image0403@naver.com

펴낸이 | 한건희
펴낸곳 | 주식회사 부크크
출판사등록 | 2014.07.15.(제2014-16호)
주 소 | 서울특별시 금천구 가산디지털1로 119 SK트윈타워 A동 305호
전 화 | 1670-8316 이메일 | info@bookk.co.kr

ISBN | 979-11-419-0055-7

마음의 정원 컬러링북

꽃이 피는 마음의 정원
AI COLORING BOOK

설시내

우리의 삶속에는 다양한 색깔이 펼쳐져 있습니다. 이 색깔들은 때로는 우리의 기분 을 대변해주며, 때로는 우리의 이야기를 표현해주는 도구가 됩니다. 이 책은 바로 그런 색깔들을 통해 여러분의 이야기를 그려나가는 데 도움을 주고자 만들어진 컬러링북입니다.

이 컬러링북은 누구나 쉽게 채색할 수 있도록 구성되어 있습니다. 복잡한 그림이 아닌, 단순하면서도 아름다운 그림들을 통해 여러분의 색깔을 자유롭게 표현해보세요. 이 책의 그림들은 여러분의 마음을 안정시키고, 편안한 시간을 제공하기 위해 디자인 되었습니다.

그림에 색을 채우면서 자신만의 이야기를 찾아보세요. 색칠하는 과정 속에서 우리는 종종 자신을 잊어버리거나 무심코 지나친 감정을 다시 발견하게 됩니다. 이 책은 그런 여러분의 이야기를 담기 위한 공간이기도 합니다. 마치 삶의 여정과도 같은 이 컬러링북과 함께하면서, 여러분의 세상에 새로운 색깔
을 발견하길 바랍니다. 또한 이 책이 여러분에게 작은 휴식과 안정을 선사하길 기원합니다. 즐거운 색칠 여행이 되길 바랍니다.

이 책은 플레이그라운드 AI와 같이 협업을 했습니다.

이 책은 실패하기 위해 내보는 책입니다. 그림에서 많은 옥의티가 보일 수 있고, 오타가 보일 수 있으니 너그럽게 이해하고 색칠해주시면 감사하겠습니다.

AI로 컬러링북을 내길 원하시는 분들은 image0403@naver.com으로
문의주시기 바랍니다.

왼쪽 페이지는 나의 이야기도 좋고, 그림도 좋고, 낙서도 좋습니다.

마음껏 채우시고 마음껏 블로그, 인스타 그램 등등 인증을 남겨주시면

감사 댓글을 달러 가겠습니다.

인스타그램에서는 #꽃이피는마음의정원 #설시내 해시테그 또는

@seolsinae로 작성해주시면~ 바로 댓글 달러 가겠습니다.

김사합니다.

컬러링을 시작하는 느낌을 적어보세요.

오늘 감사한 것
3가지 이상 적어보세요

행복했던 기억을 적어보세요!
무엇이든 좋습니다!

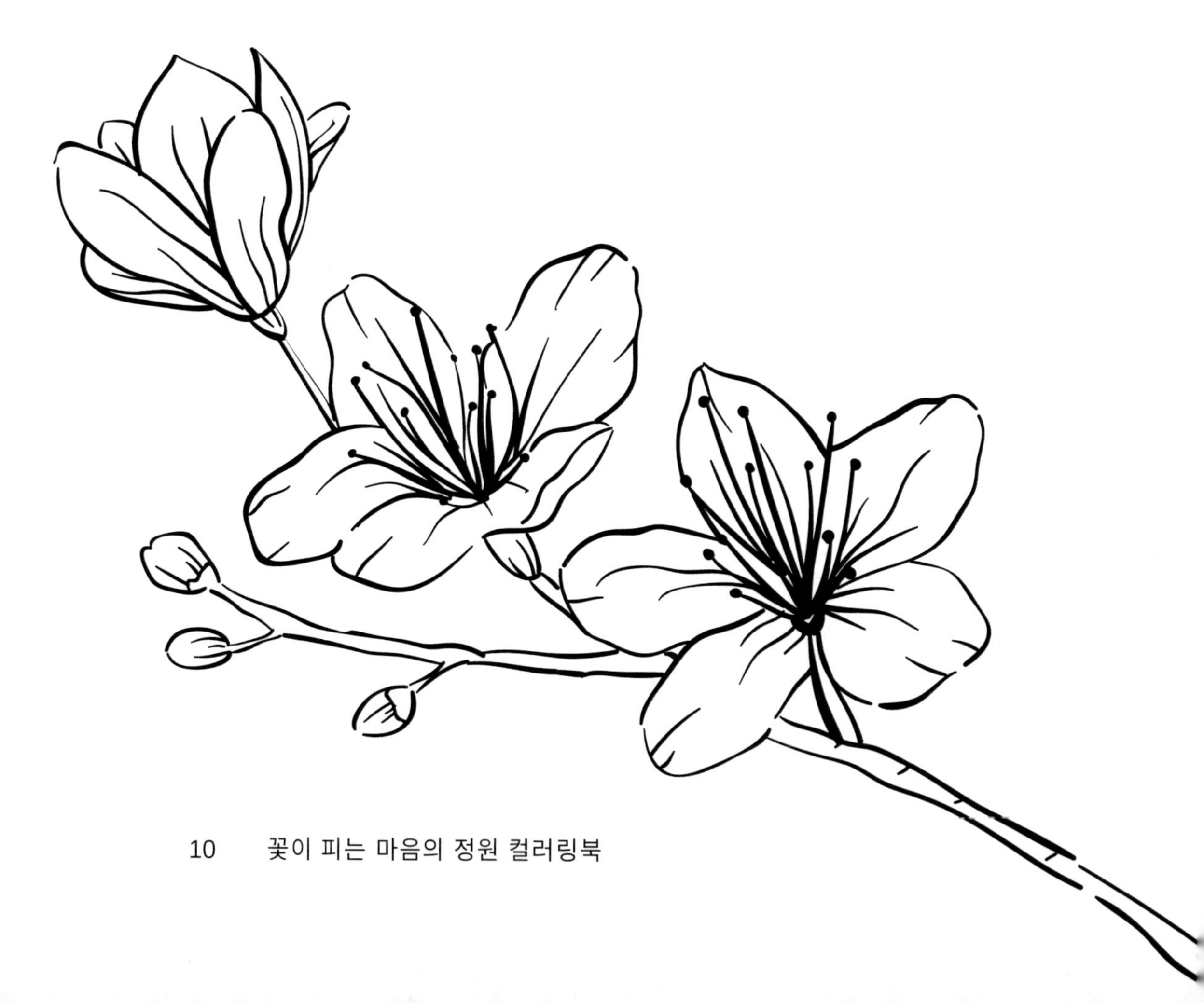

오늘 나에게 해주는 한마디는 무엇일까요?

내가 좋아하는것은 무엇인가요?

상상만 해도 즐거워지는 단어들을
적어보세요!

낙서를 해보는건 어떨까요?

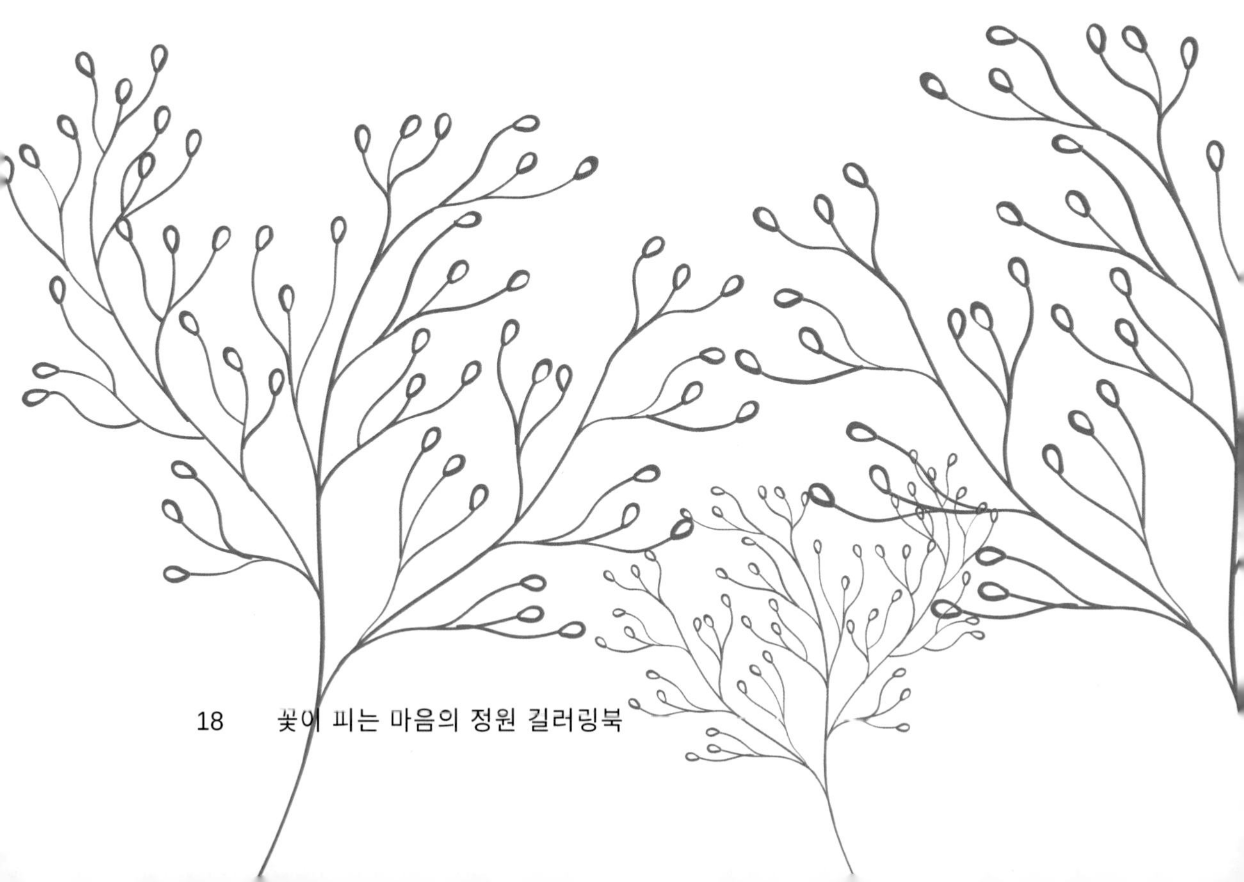

나는 어떤 사람일까요?

내가 가장 좋아하는 영화나
책은 무엇일까요?

내 신체부위 중 가장 마음에
드는 부분은 어디인가요?

내가 좋아하는 계절은 무엇인가요?

가장 좋아하는 꽃은 무엇일까요?

내가 좋아하는 식물은 무엇인지 적어보세요.

오늘 가장 기분 좋았던 순간은 언제였나요?

최근에 가장 감사하게
생각한 일은 무엇인가요?

오늘 하루 중 가장 웃었던 일은 무엇인가요?

오늘 하루 중 가장 웃었던 일은 무엇인가요?

가장 좋아하는 계절과 이유는 무엇인가요?

가장 즐거운 시간을 보낸 장소는 어디인가요?

오늘 하루 동안 당신이 누군가에게
베푼 친절은 무엇인가요?

지금 가장 기대하고 있는 일은 무엇인가요?

오늘 하루 중 가장 웃었던 일은 무엇인가요?

최근에 당신을 감동시킨
영화나 책은 우엇입가요?

당신이 가장 좋아하는
계절은 무엇이며
그 이유는 무엇인가요?

당신이 가장 좋아하는 자연 속 장소는 어디인가요?

당신이 좋아하는 명언을 적어보세요.

주말에 가장 하고 싶은 활동은 무엇인가요?

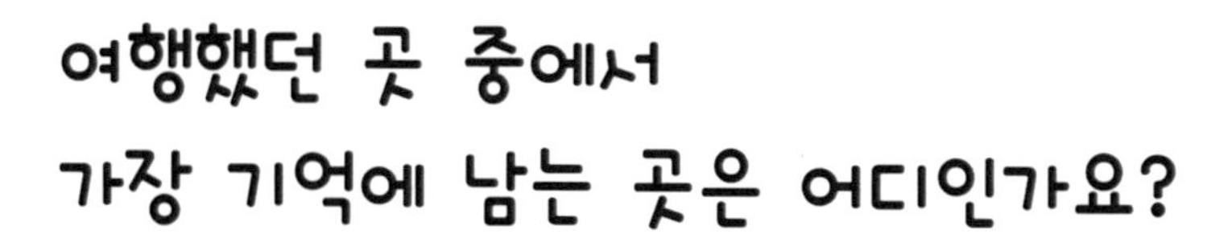

여행했던 곳 중에서 가장 기억에 남는 곳은 어디인가요?

내가 가장 좋아하는
옷스타일을 그려보세요.

환하게 웃고 있는 나의 얼굴을
그려보세요.

내가 좋아하는

꽃의 사진, 그림, 스티커 등 을

붙여보세요.

내가 좋아하는 장소의
사진이나 그림을 붙여보세요.
스티커도 좋습니다.

오늘 나의 하루는 어땠나요?

잘 꾸며진 정원에 가면 어떤 느낌이 드나요?

지금 가장 기대하고 있는 일은 무엇인가요?

좋아하는 단어들을 아무렇게나 적어보세요.

마음껏 꾸며 보세요.

나비를 그려보세요.

장미를 주제로 시를 적어보세요.

당신이 존경하는 사람은 누구이며,
그 이유는 무엇인가요?

당신이 존경하는 사람은 누구이며,
그 이유는 무엇인가요?

사랑에 관련된 생각나는 단어를 적어보세요.

자유롭게 꾸며보세요.

당신이 존경하는 사람은 누구이며,
그 이유는 무엇인가요?

내 이야기로 꾸미고 채운 컬러링북의 느낌을 적어보세요!

나를 생각하면 떠오르는 단어를 적어보세요.

오늘 하루 고생한 나에게 주는 한마디는 무엇인가요?